外国人留学生のための進路の手引き

京 祥太郎 著

白帝社

はじめに

本書は 2014 年に出版された『入試面接試験対策対応　外国人留学生のための進学の手引き』の姉妹版です。『入試面接試験対策対応　外国人留学生のための進学の手引き』は主として日本国内進学予備教育機関としての日本語教育機関（以下「日本語学校」）や専門学校の専門課程で進学を目指して勉強している私費外国人留学生（以下「留学生」）向けの「進学の手引き」になることを意図として出版いたしました。お陰様で多くの日本語学校や専門学校の関係者や留学生の皆さんに利用していただきました。

しかし、近年、新たな在留資格なども創設され、留学生が大学や大学院、専門学校などの高等教育機関へ進学するだけでなく、日本国内で就職したり就職活動したりするなど進路も多岐にわたるようになってきました。そこで、このたび、『入試面接試験対策対応　外国人留学生のための進学の手引き』を加筆修正した本書を発行する運びとなりました。

本書は、使いやすさはそのままに、内容を一部新しくしました。一斉授業で使用できるよう読解問題とし、留学生が進路を決定するために必要な一連の知識を得られるようにしました。

本書が完成するまでに多くの方にご協力いただきました。とりわけ、出版にご尽力くださった株式会社白帝社の皆様に深く感謝申し上げます。

本書が、日本で進学や就職をしようと思っている留学生とご指導にあたる先生方のお役に立つことを心から願っております。

2020 年 8 月

著者

目　次

本書の構成と使い方

■本書の構成および目的

＜本書の構成＞

本書は第１部と第２部の２部構成になっています。

▽第１部「進学や就職のための基礎知識【読解編】」

＜到達目標＞日本での進学や就職について基礎知識を得ることができる

第１部は、「読む」というインプット中心の活動になります。読解教材として前作業**読む前に**、本作業**読みましょう**、後作業**読んだ後で**からなっており、本作業**読みましょう**は**本文（長文および短文）**、**問題**からなっています。長文問題は真偽法（〇×法）、短文問題は多肢選択法の**再認形式**の問題となっています。日本の大学や専門学校などへ進学したり、日本で就職したりするにあたっての必要な知識を得るのが目的です。トップダウン・ボトムアップモデルを組み合わせて読解を進めていく**相互交流モデル**での授業を推奨します。

第１部　指導手順例

【前作業】

読む前に

ウォーミングアップとして、知識背景を活性化するための質問をしたり、問題１の文章の内容理解に必要な語彙や知識などの確認をしたりします。

【本作業】

読みましょう

タスクリーディングとして、まず、文章の内容を確認させます。そのあとに精読として、細かい情報を確認するようにします。

【後作業】

読んだ後で

感想や意見を話し合います。

▽第２部「入学試験（面接）のための発話練習【会話編】」

＜到達目標＞入学試験（面接）で必要なスキルを身に付けることができる

第２部は、「話す」というアウトプット中心の活動になります。会話教材として**Ａ独話編**および**Ｂ対話編**からなっています。前作業として、＜**はじめに**＞＜**意識化**＞＜**談話構成の確認**＞＜**構成メモ作成（Ａ独話編のみ実施）**＞、本作業として＜**発表**＞、後作業として＜**作文（Ａ独話編のみ実施）**＞＜**振り返り**＞からなっています。

A**独話編**としては、談話の構造を意識したスピーチ（発表）を中心に練習します。面接での基本的な質問の答えを30秒から1分程度で簡素に話すことができるようになるのが目的です。

B**対話編**としては、会話のストラテジーを意識したロールプレイ練習をします。面接での質疑応答に対応ができるよう必要な機能（分からなかった場合に聞きかえすなど）を意識してもらうのが目的です。

第2部　指導手順例

【前作業】

はじめに　**5〜10分程度**

ウォーミングアップとして、スキーマを活性化するための質問をします。

意識化　**5〜10分程度**

間違ったモデル文を見ることによって何がおかしいのかを気づいてもらうのが目的です。問題1は「よく考えること」を目的としていますから、「正解」は特にありません。問題2は主に使用語彙や表現の確認になります。

談話構成の確認　**5分程度**

談話構成や使用語彙について確認します。特に話の開始部から展開部、終了部に至るまでの談話構成を理解させるのが主な目的です。その際の使用表現として参考までに例を載せましたが、他にも適時な表現がありましたらその都度教えてあげてください。

構成メモ作成　**10分程度**　**＊A独話編のみ実施**

談話構造を意識し、構成メモを作成します。この段階では箇条書きでメモ程度に書いてもらいます。長々と書かないよう指導してください。

【本作業】

発表　**1人30秒〜1分程度**

人前に出て発表をしてもらいます。第1部は独話形式ですから1人でスピーチを、第2部は教師と学習者とのロールプレイ練習になります。日本で留学生が日本語を使用するという状況は、概ね日本人が含まれている必要があると考察されます。そこで、日本人役は教師が務めることにします。教師主導型でロールプレイを行うことでよりリアリティーが増すと考えました。

＊発表者でない学生は感想を書かせてください。感想を書く用紙は最後のページにあります。

＊誰の発表が一番上手だったかをクラスで投票しても面白いかと思います。

＊時間がない場合は【後作業】の＜作文＞を行った後に実施することも可能です。

【後作業】

作文　宿題　**＊A独話編のみ実施**

忘れないように定着するために作文を書くようにしてください。

　＊作文は回収して添削してあげると効果大です。

振り返り　宿題

自分で自己評価をしてもらいます。評価用紙に記入することで気づきを促してください。

　＊教師からのコメントを書いてあげることを推奨します。

■主な特徴

＜主な対象者＞日本国内の高等教育機関への進学希望の留学生、日本で就職希望の留学生等

＜日本語レベル＞中級以上

＜主なシラバス＞複合シラバス（場面・機能・技能・タスクシラバスなど）

＜中心となる教室活動＞第１部：読解（インプット中心の活動）

　　　　　　　　　　　第２部：会話（アウトプット中心の活動）

＜人数＞15 名前後が望ましい

＜時間配分＞1 回 90 分程度

＜必要授業回数＞15 回

＜特徴＞①第１部をインプット中心の活動、第２部をアウトプット中心の活動とした点

　　　　②クラス一斉授業で使用しても、自習用としても使用できる点

　　　　③機能に応じて練習方法が違う点

第１部
進学・就職のための基礎知識
【読解編】

1．年間日程

読む前に

◆話しましょう

(1) 日本の大学や専門学校へ進学して、何を勉強したいですか。

(2) 日本の大学や専門学校へ進学するには、どのような試験を受けなければならないと思いますか。

◆語彙の確認をしましょう

次の漢字は、これから読む文章に出てくる漢字です。それぞれ読み方をひらがなで書いてください。意味が分からない言葉は、辞書で意味を調べてみましょう。

	読み方	意味
1）年間日程		
2）業者主催		
3）進学説明会		
4）体験入学		
5）成績証明書		
6）卒業証明書		
7）卒業証書		
8）翻訳		
9）入学願書		
10）募集要項		
11）出願書類		
12）履歴書		
13）日本語能力試験		
14）日本留学試験		
15）国公立大学		
16）私立大学		
17）短期大学		
18）専門学校		
19）合格発表		
20）入学時納入金		
21）入学許可書		

読みましょう

問題1．次の文章を読んで、内容が正しいものには○、まちがっているものには×を書いてください。

1年間のスケジュールは概ね以下のようになります。

4月から5月にかけては、まず、各学校のホームページやパンフレットなどを見たりして自分に適した学校を探しましょう。

6月は、第1回日本留学試験（EJU）があります。必要に応じて受験するようにしましょう。大学進学希望の学生は、日本語以外の科目、数学や総合科目なども受験するようにしましょう。また、6月ごろから各業者主催の進学説明会が開催されます。積極的に参加するようにしましょう。多くの説明会では、学校のパンフレットなど無料でもらうことができます。（新年度のものは夏以降になる場合が多いです。）

7月は、第1回日本語能力試験（JLPT）があります。N1またはN2を必要に応じて受験するようにしましょう。この時期から大学や専門学校でオープンキャンパスや体験入学などが行われます。学校の様子や学校までの交通手段も分かりますから、積極的に参加するようにしましょう。

夏休みに一時帰国する人は、自国で出身高校の成績証明書（原本）や卒業証明書などの出願書類を準備しておきましょう。ただし、日本では発行後3か月以内の書類が有効とされる場合もあります。また、場合によっては日本語訳が必要なこともあるので注意しましょう。

9月から多くの私立大学、短期大学、専門学校で出願が開始されます。電話やメールで入学願書（募集要項）を取り寄せましょう。最近では入学願書や出願書類などを大学のホームページからダウンロードできる学校もあり、インターネットでの出願ができる学校もあります。

10月からは、多くの学校で入学試験が開始されます。出願書類（入学願書・履歴書など）を作成し、出願の準備をしましょう。入学試験は、日本語の試験（筆記試験や小論文等）と面接試験がある学校が一般的です。

11月には第2回日本留学試験（EJU）、12月には第2回日本語能力試験（JLPT）があります。必要に応じて受験するようにしましょう。2月ごろから国公立大学の出願が始まります。

大学や専門学校から無事合格通知が届いたら、期日までに入学手続きをしなければなりません。多くの学校は、合格通知書とともに「入学手続要項」が送られてきます。入学手続要項の内容を十分に確認した上で指定された期日までに所定の入学時納入金を払ったり、所定の入学手続き書類を提出したりしましょう。入学手続時納入金は多くの学校で数十万円必要になります。入学手続きをしないと入学の意思がないと見なされ、入学許可は得られません。「入学許可書」がなければ入学できないので気を付けましょう。

(1)（　　　）　大学や専門学校についての情報は、日本語学校の先生たちが教えてくれるので、自分で調べる必要はない

(2)（　　　）　オープンキャンパスや体験入学などに参加すると学校の様子などが分かるので良い

(3)（　　　）　出身高校の書類（成績証明書など）は、日本へ留学する時に日本語学校に提出した書類があるので、それを再利用すれば良い

(4)（　　　）　大学や専門学校の募集要項などは、直接学校に行かなくても電話やメールなどで取り寄せる事もできる

(5)（　　　）　合格通知とともに入学許可書も送られてくる学校が多い。

問題２．次の文章を読んで、文章全体の内容を考えて（　　　）に入る言葉を［　　　］から選んで書いてください。

日本での進学先としては、大学院、大学、短期大学、専門学校などがあります。それぞれ特色がありますから、まず、自分にあった進学先を見つけることが大切です。将来、自分がどこで何をしたいのかを真剣に考えてから志望校を決めるようにしてください。くれぐれも、「友達が行くから」や「学費が安いから」などという理由だけで決めないようにしてください。

日本には（１　　　　　）受験というものがありますから、もしものためにも複数校受験するようにしましょう。その場合は、合格発表の日や学費納入の期限などもよく調べてから受験するようにしてください。また、専門学校の中には、人気のある学校などは年内に募集締め切りという学校もあります。専門学校進学希望の学生は早めに受験しましょう。

私費外国人留学生の場合は（２　　　　　）入試での受験が一般的で、日本人受験者のための一般入試と違い入試科目が軽減されることが多いです。多くの私立大学や短期大学、専門学校は９月から、国公立大学は２月に出願開始になります。

併願　　単願　　一般　　外国人特別

読んだ後で

◆話しましょう

日本の入学試験について、どう思いますか。

2．大学・短期大学進学

読む前に

◆話しましょう

(1)大学と短期大学の違いは何だと思いますか。

(2)文（科）系、理（科）系とは何のことですか。

◆語彙の確認をしましょう

次の漢字は、これから読む文章に出てくる漢字です。それぞれ読み方をひらがなで書いてみてください。意味が分からない場合は、辞書で調べてみてください。

	読み方	意味
1）短期大学		
2）準備教育課程		
3）文部省告示		
4）学力認定試験		
5）大学入学資格		
6）保有者		
7）評価団体		
8）認定		
9）受験資格		
10）条件		
11）医学		
12）歯学		
13）薬学		
14）獣医学		
15）医療技術		
16）看護		
17）学士		
18）学位		
19）授与		
20）文科系		
21）理科系		

読みましょう

問題1．次の文章を読んで、内容が正しいものには○、まちがっているものには×を書いてください。

日本の大学・短期大学へ進学するためには、①外国において、学校教育における12年の課程を修了した者（12年未満の課程の場合は、さらに指定された準備教育課程又は研修施設の課程等を修了する必要がある。）（施行規則第150条第1号、昭和56年文部省告示第153号第2号）、②外国における、12年の課程修了相当の学力認定試験に合格した者（12年未満の課程の場合は、さらに指定された準備教育課程又は研修施設の課程等を修了する必要がある。）（昭和56年文部省告示第153号第1号、第2号）、③国際バカロレア、アビトゥア、バカロレアなど、外国の大学入学資格の保有者（昭和23年文部省告示第47号第20号～第22号）、④国際的な評価団体（WASC、CIS、ACSI）の認定を受けた外国人学校の12年の課程を修了した者（昭和23年文部省告示第47号第23号）の資格（受験資格）のうちどれかを満たす者で18歳以上の者という条件があります。

4年制大学（正規課程）の修業年限は4年（医学、歯学、一部の薬学及び獣医学の場合は6年）、短期大学では2年（医療技術・看護分野などは3年）で、入学時期は、一部を除いて4月です。卒業までに必要な取得単位は、大学では通常4年間で124単位以上（医学・歯学では通常6年間で188単位以上、獣医学では通常6年間で182単位以上、薬学（一部）では通常6年間で186単位以上）、短期大学では通常2年課程で62単位（3年課程で93単位以上）が必要と言われており、卒業時には、大学を卒業した者は「学士」、短期大学を卒業した者は「短期大学学士」の学位が授与されます。4年制大学は学部（短期大学では学科）で構成されており、4年制大学の学問分野は概ね文（科）系（人文科学系、社会科学系）、理（科）系（自然科学系）に分かれています。日本留学試験（EJU）の科目には、日本語の他に理（科）系学部希望者が受験する理科や数学、文（科）系学部希望者が受験する総合科目や数学があります。大学によっては理科や総合科目といった科目の受験を義務づけているところもあるので、注意が必要です。

＜文（科）系（と捉えられる）学問分野＞
・人文科学系（哲学、心理学、言語学、文学、芸術学、教育学など）
・社会科学系（政治学、経済学、経営学、社会学、法学など）

＜理（科）系（と捉えられる）学問分野＞
・自然科学系（数学、物理学、化学、生物学、農学、工学など）

（1）（　　　）　日本の大学や短期大学は、18 歳以上であれば誰でも受験できる
（2）（　　　）　日本の大学や短期大学の入学時期は 4 月の場合が多い
（3）（　　　）　日本の大学では、4 年生（短期大学の場合は 2 年生）まで在籍すれば、卒業できなくても学位が取得できることになっている
（4）（　　　）　日本の大学や短期大学は、卒業時に必要な単位数が足りなくても 80%以上出席していれば卒業できる
（5）（　　　）　理（科）系希望の場合は、日本留学試験の科目は日本語と総合科目を受験すればよい

問題２．次の文章を読んで、文章全体の内容を考えて（　　　）に入る言葉を［　　　］から選んで書いてください。

外国人留学生の適切な受入れについては、法務省の「外国人留学生の適切な受入れ及び在籍管理の徹底等について（通知）」（令和 2 年 4 月）で以下のように述べられています。

各大学等においては、学生数の確保という観点で安易に留学生を受け入れることは厳に慎むとともに、充実した教育指導及び留学生を含んだ適切な定員管理を確保する観点から、留学生の受入れ数については、当該大学等の入学定員、教職員組織、施設整備等を考慮した適切なものとし、教育体制の現状に見合わない過大な受入れ数にならないようにする必要があります。また、入学志願者が真に（1　　　　　）を目的としており、その目的を達するための十分な能力・意欲・適正等を有しているかを適切に判定すること、特に、日本語など必要な能力の基準（学位が授与される正規の教育課程において日本語で授業を行う場合、日本語能力試験（2　　　　　）レベル相当以上が目安）を明確化し、適正な水準を維持することが重要です。さらに、国際交流等の推進の観点から、独立行政法人日本学生支援機構が実施する「日本留学試験」の積極的な活用や当該試験を活用した渡日前入学許可の実施について配慮することが望まれます。
あわせて、入学を許可して受け入れた外国人留学生については、自ら責任を持って在籍の管理を行う必要があります。

N1　　N2　　N3　　修学　　就労

読んだ後で

◆話しましょう
日本の大学や短期大学について、どう思いますか？

３．大学院・研究生進学

読む前に

◆話しましょう

(1)「勉強」と「研究」の違いは何だと思いますか。

(2)「研究生」という制度は何だと思いますか。

◆語彙の確認をしましょう

次の漢字は、これから読む文章に出てくる漢字です。それぞれ読み方をひらがなで書いてみてください。意味が分からない言葉は、辞書で意味を調べてみましょう。

	読み方	意味
１）博士課程		
２）修士課程		
３）標準修業年数		
４）専門職学位課程		
５）研究者		
６）職業人		
７）養成		
８）重点		
９）指導教官		
10）教授		
11）先行研究		
12）専攻		
13）研究業績		
14）論文		
15）指導依頼		
16）研究室		
17）訪問		
18）手土産		
19）研究計画書		
20）健康診断書		
21）口頭試問		

読みましょう

問題１．次の文章を読んで、内容が正しいものには○、まちがっているものには×を書いてください。

日本の大学院へ進学するためには、4 年制大学を卒業した者（法第 102 条）、外国において、学校教育における 16 年（医学、歯学、薬学又は獣医学を履修する博士課程への入学については 18 年）の課程を修了した者（施行規則第 155 条第 1 項第 2 号）などの条件を満たす必要があります。大学院の標準修業年限は、博士課程前期（修士課程）2 年、博士課程後期 3 年、専門職学位課程 2 年となります。入学時期は、最近は 4 月と 10 月の年 2 回を設けている学校も増えてきています。大学院には研究者を養成することを目的としているところと、高度な職業人を養成することを目的としているところがありますが、どちらの大学院でも「勉強する」より「研究する」に重点が置かれる傾向にあります。また、大学院によっては事前に指導教官の許可を得てから受験するというところもあります。指導教官になる人は 1 人です。失礼になりますから、くれぐれも一度に何人もの教授に連絡をしないようにしましょう。以下は、試験当日までの大まかなスケジュールです。

4 月～9 月頃

【専攻を決める】

・なぜ自国でなく日本の大学院でなければならないのかを明確にしましょう！

・大学院で「何を研究したいのか」を先行研究や文献から明確にしましょう！

・自国の大学での専攻と変わる場合は気をつけてください！

【研究業績で指導教官（以下、教授）を探す】

・学校のパンフレットやホームページなどから情報を得ましょう！

【教授の出版された本や論文などを確認する】

・教授の業績を確認しましょう！

【教授に指導依頼のメールまたは手紙を書く】

・教授宛にメールを送り、自分の研究したい内容が指導可能かを確認しましょう！
メールアドレスが分からない場合は研究室宛に手紙を書きましょう！ 教授からの返事が届いたら、お礼のメール（または手紙）をしましょう！

・はじめて研究室を訪問する際には、簡単な手土産を持って行きましょう！

10 月～12 月頃

【母国の出身校に必要書類の送付を依頼する】

・日本語に翻訳する必要がある書類は急いで準備しましょう！

【教授の指示に従って、研究室訪問を続ける】

・可能であれば教授のゼミなどを受けさせてもらいましょう！

【願書入手、日本語学校の進路指導担当の先生に相談しながら記入する】

・進路指導担当の先生に相談しながら日本語で研究計画書を書きましょう！
・健康診断書、写真などをそろえましょう。
【教授との連絡は、以後も続ける】
・教授の指示に従って、出願しましょう！
・日本語学校の進路指導担当の先生と面接（口頭試問）の練習をしておきましょう。

試験当日

（1）（　　　）　大学院受験は、4 年制大学を卒業または学校教育における 16 年の課程を修了していなければ受験することができない場合が多い
（2）（　　　）　大学院は「研究するところ」というより「勉強するところ」である
（3）（　　　）　指導教官を探す場合は、何人もの教授に一度に連絡をとるのが合理的で便利である
（4）（　　　）　研究計画書は専門的内容であるので自分 1 人で書くのが一番良い
（5）（　　　）　先行研究の調査などは大学院に入ってからすることなので、今は先行研究の調査などはせずに日本語力の向上をはかるべきである

問題 2．次の文章を読んで、文章全体の内容を考えて（　　　）に入る言葉を［　　　］から選んで書いてください。

日本には独特の制度として（1　　　　　）制度（大学院入学のための予備教育）というのがあります。主に 4 年制大学を卒業した者（大学によっては修士課程修了した者）で指導教官の承諾を得た者に入学が許可される場合が多いです。半年から 1 年かけて専門知識を勉強し、大学院修士課程（あるいは博士課程）へ進学することになります。在留できる期間は原則（2　　　　　）という基準があり、この期間内に大学院に進学しなければなりません。

1 年　　2 年　　研究生（研修生）　　正規生

読んだ後で

◆話しましょう
日本の大学院について、どう思いますか。

４．専門学校進学

読む前に

◆話しましょう

(1)大学と専門学校の違いは何だと思いますか。

(2)専門学校で勉強した方が良いと思う科目は何だと思いますか。

◆語彙の確認をしましょう

次の漢字は、これから読む文章に出てくる漢字です。それぞれ読み方をひらがなで書いてみてください。意味が分からない場合は、辞書で調べてみてください。

	読み方	意味
1）専門学校		
2）入学資格要件		
3）準備教育課程		
4）専修学校		
5）専門課程		
6）都道府県知事		
7）認可		
8）学校教育法		
9）実践的		
10）職業教育		
11）専門的		
12）技術教育		
13）多岐		
14）育成		
15）教育分野		
16）区分		
17）文部科学大臣		
18）専門士		
19）短期大学士		
20）編入学		
21）高度専門士		

読みましょう

問題1．次の文章を読んで、内容が正しいものには○、まちがっているものには×を書いてください。

日本の専門学校への入学資格要件は、全国専修学校各種学校総連合会の「専門学校における留学生の入学及び在籍管理に関するガイドライン」（平成18年11月）により以下のように定められています。

① 外国において12年の学校教育を修了した者とする。ただし、準備教育課程を卒業し通算12年の学校教育を修了した者を含む。
② 入学資格要件のうち、日本語能力に関しては以下のいずれかの要件を満たす者（専ら日本語の教育を受けようとする場合を除く。）とする。

● 法務大臣により告示されている日本語教育機関で6ヵ月以上の日本語教育を受けた者。
● 独立行政法人日本学生支援機構が実施する日本留学試験において、日本語読解、聴解及び聴読解の合計で200点以上取得した者。
● 財団法人日本国際教育支援協会及び国際交流基金が実施する日本語能力試験の1級（N1）又は2級（N2）に合格した者。
● 学校教育法第1条に規定する学校（幼稚園を除く。）において1年以上の教育を受けた者。

専修学校の中で専門課程を置くところは専門学校と呼ばれ、授業時数・教員数や施設・設備などの一定の基準（専修学校設置基準等）を満たしている場合に、所轄庁である都道府県知事の認可を受けて設置されています。学校教育法の中で専修学校は、「職業もしくは実際生活に必要な能力を育成し、又は教養の向上を図る」ことを目的とする学校であるとされ、実践的な職業教育、専門的な技術教育を行う教育機関として、多岐にわたる分野でスペシャリストを育成しています。専修学校は、その教育分野によって工業、農業、医療、衛生、教育・社会福祉、商業商務、服飾・家政、文化・教養の8分野に区分されています。専門学校のうち、修業年限が2年以上、授業時間1700時間以上などの要件を満たしたもので、文部科学大臣が指定した課程の修了者は、「専門士」の称号が付与されることになっています。専門学校や短期大学を卒業して日本での進学を希望している場合は、「専門士」や「短期大学士」であれば、専門学校や短期大学で勉強した科目にもよりますが、4年制大学の2年次（または3年次）に編入学することもできます。

また、専門学校のうち、修業年限が4年以上、授業時間数4300時間以上などの要件を満たしたもので、文部科学大臣が認めた課程の修了者は、「高度専門士」の称号が付与されることになっており、高度専門士であれば大学卒業者と同様に大学院入学資格が得られることになっています。

（1）（　　　）　日本の専門学校は、18 歳以上であれば留学生の場合も誰でも受験できる

（2）（　　　）　日本の専門学校は、実践的な職業教育、専門的な技術教育を行う教育機関である

（3）（　　　）　日本の専門学校は、80％以上出席していれば誰でも「専門士」や「高度専門士」の称号が付与される

（4）（　　　）　母国の大学で 2 年間勉強している場合、日本の専門学校で 2 年間勉強すれば「高度専門士」の称号が付与される

（5）（　　　）　「専門士」であれば、大学院への入学資格を得ることができる

問題２．次の文章を読んで、文章全体の内容を考えて（　　　）に入る言葉を［　　　］から選んで書いてください。

専門学校には「認可校」と「無認可校」とがあります。一般社団法人大阪府専修学校各種学校連合会（以下、大専各）によると「認可校」と「無認可校」の違いとして「専門学校は、学校教育法により、職業教育を実施する教育機関として位置づけられ、（1　　　　　）の認可を受けて設置が認められます。一方、職業訓練や教育を実施する会社等、こうした（2　　　　　）認可を受けていない機関も多くあります。認可校のみを会員とする大専各では、これらを総称して「無認可校」と呼んでいます。認可校と無認可校では以下のような違いがあり、無認可校では、認可校では受けられる数々の特典を受けることができません。また、一部の無認可校では、「専門学校」の名称に近い「専門校」や「専門の学校」などといった紛らわしい表現を使うところもあります。これらの違いをよく理解した上で、自分の目的に合った進路を選びましょう。」と述べられています。留学生の場合は在留資格の問題などもあるので注意が必要です。

都道府県知事　法務大臣　公的　私的

読んだ後で

◆話しましょう

日本の専門学校について、どう思いますか？

5．受験準備

読む前に

◆話しましょう

(1)受験するにはどのような準備が必要だと思いますか。

(2)進学するための費用はどのぐらいかかると思いますか。

◆語彙の確認をしましょう

次の漢字は、これから読む文章に出てくる漢字です。それぞれ読み方をひらがなで書いてみてください。意味が分からない場合は、辞書で調べてみてください。

	読み方	意味
1）入学願書		
2）募集要項		
3）出願		
4）書類		
5）併願		
6）不備		
7）卒業証明書		
8）卒業証書		
9）学業成績証明書		
10）推薦状		
11）履歴書		
12）入学志望理由書		
13）健康診断書		
14）外国人登録原票記載事項証明書		
15）経費支弁		
16）通帳		
17）預貯金残高証明書		
18）送金証明書		
19）身元保証書		
20）出席証明書		
21）卒業見込証明書		

読みましょう

問題１．次の文章を読んで、内容が正しいものには○、まちがっているものには×を書いてください。

大学や専門学校などの入学試験を受けるには、まず、入学願書（募集要項）を取り寄せ、必要な書類を準備しなければなりません。出願に必要な書類には、以下のものが一般的ですが、各学校によって必要な書類は異なります。必ず各学校の募集要項などで確認をしてください。特に自分の国で準備する書類は準備に時間がかかりますから、はやめに準備するようにしてください。併願受験の場合は１枚でなく複数用意するようにしましょう。受験資格がない場合や書類に不備がある場合などは受けつけてくれない場合もあるので気をつけてください。

＜出願に必要な書類例＞

（１）自分の国で準備する書類

○自国の高等学校（および最終学校）の卒業証明書

＊「卒業証書」でも可能な学校もあります。

○自国の高等学校（および最終学校）の学業成績証明書

＊この２通は学校によって翻訳（英語・日本語訳）が必要な場合があります。

○自国の高等学校の校長または教諭の推薦状

＊学校によって必要な場合があります。

（２）日本で準備できる書類

○入学願書（学校所定のもの）

○履歴書（学校所定のもの）および写真

○入学志望理由書（学校所定のもの）

○健康診断書（入学試験前３ヶ月以内のもの）

＊一般の病院では日本円で 5000 円程度かかります。学校によっては必要ない場合もあります。

○外国人登録原票記載事項証明書の原本（「在留カード」とは違います）

＊市・区役所で発行してもらいます。（発行日から３か月以内のもの）

○経費支弁につての書類

＊金融機関の通帳コピーや預貯金残高証明書、自国からの送金証明書などが必要な場合があります。

○保証人の身元保証書

＊保証人は日本人限定の場合もあります。

○日本語学校の学業成績証明書・出席証明書

○日本語学校の卒業（見込）証明書

○日本語学校の推薦書

（1）（　　　）出席証明書や成績証明書などの書類は、1枚だけを準備して残りはコピーで対応するとよい

（2）（　　　）提出書類に不備があった場合は、後で提出しても受け付けてくれる場合が多い

（3）（　　　）提出書類は、原本を準備する時間がない場合は自分で作ったのを提出しても問題はない

（4）（　　　）履歴書は市販のものを使用すると便利である

（5）（　　　）保証人は日本人でなければ許可されない場合もある

問題2．次の文章を読んで、文章全体の内容を考えて（　　　）に入る言葉を［　　　］から選んで書いてください。

日本の多くの大学や専門学校では、体験入学やオープンキャンパスなどを行っています。学校の様子が分かるチャンスです。ぜひ体験授業やキャンパスツアーに参加しましょう。志望校が決まったら、入学願書（募集要項）を取り寄せ、必要な書類（入学願書や履歴書、志望理由書、経費支弁書など）を（1　　　　　）で書くことになります。志望理由書は大体400字から800字程度が一般的で、目的意識・意欲・人柄・将来性などが審査の対象となります。記入が日本語以外の場合は、日本語学校や大使館などの公的機関が発行した日本語訳の翻訳なども必要になります。そのほかに、経費支弁者の預金残高証明書や在職証明書、年収証明書の提出も求める場合もあります。出願書類がそろったら出願をします。出願方法は、直接窓口で行う場合と郵送で行う場合がありますが、郵送の場合は消印有効などに気をつけてください。入学検定料は、日本円で15,000円から35,000円程度かかります。また、出願時に日本語能力試験や日本留学試験の受験票や成績通知書の写し（コピー）を提出する学校もあります。提出書類が虚偽の記載または申告などの事実があった場合は（2　　　　　）や入学許可取り消しになります。なお、一度受理された提出書類は返却されない場合が多いので注意が必要です。多くの学校では合格発表日から2週間後には入学手続きとして学納金などを払う事になります。納付金は数十万円は必要ですから、日ごろから計画的に貯金をしておきましょう。

母語	日本語	罰金	不合格

読んだ後で

◆話しましょう

出願書類の準備について、どう思いますか？

６．入学試験

読む前に

◆話しましょう

(1)入学試験にはどのような試験があると思いますか。

(2)あなたの国での入学試験にはどのような試験がありますか。

◆語彙の確認をしましょう

次の漢字は、これから読む文章に出てくる漢字です。それぞれ読み方をひらがなで書いてみてください。意味が分からない場合は、辞書で調べてみてください。

	読み方	意味
１）書類選考		
２）一次		
３）通過		
４）筆記		
５）合否		
６）免除		
７）面接		
８）小論文		
９）表記		
10）表現力		
11）語彙力		
12）学習意欲		
13）目的意識		
14）人柄		
15）個性		
16）判断		
17）口頭試問		
18）口述試験		
19）知識		
20）学力		
21）外国人特別選抜入試		

読みましょう

問題１．次の文章を読んで、内容が正しいものには○、まちがっているものには×を書いてください。

入学試験の内容や方法は学校によって異なります。ほとんどの大学や短期大学、専門学校には私費外国人留学生のための外国人特別入試があります。入学試験の内容や方法は学校によって異なりますが、概ね以下のような内容です。

＜入学試験の内容＞

①書類選考

大学などでは一次選考としての書類選考があり、書類選考を通過しなければ筆記試験（二次選考）に進めない学校もあります。日本留学試験の点数により合否を判断する学校もあり、日本留学試験利用入試は特に二次（二期）募集以降に多くなる傾向があります。

②筆記試験

筆記試験では、受験者の日本語力を見ます。内容は学校によって異なりますが、日本語の試験の他に英語の試験を課す学校もあります。また、日本留学試験利用入試の場合は、筆記試験が免除されることもあります。一次選考として筆記試験を課す学校もありますが、その場合は筆記試験に合格しなければ二次選考（面接試験）に進めないことが多いようです。

③小論文（作文）試験

小論文（作文）試験では、大学や専門学校で勉強するための日本語力（日本語の表記、表現力、語彙力など）があるかどうかを見ます。内容は学校によって異なりますが、多くの学校で行われています。

④面接（口頭）試験

面接（口頭）試験は、学習意欲や目的意識があるかどうか、日本語力（特にコミュニケーション力）があるかどうかを見ます。多くの学校で行われています。面接試験とは、筆記試験では計れない部分を計る試験であって、受験生の人柄や個性、やる気を判定する試験です。一方、口頭試問（口述試験・口述試問等）の方は、口頭で知識、学力を試問する学力試験です。

大学・専門学校の多くが外国人特別選抜入試を行っていますが、募集時期は9月から12月が中心になります。（学校によっては3月まで募集しているところもあります。）日本留学試験は毎年2回、6月と11月に実施されていますが、6月の結果は7月下旬に、11月の結果は12月下旬に発表されます。よって、6月の日本留学試験を受験していないと一次

（一期）募集での受験が出来ない場合もあります。大学によっては一次（一期）募集だけという学校もありますから注意が必要です。（学校によって数回募集しているところもあります。）最近の傾向としては、日本語能力試験より日本留学のための試験である日本留学試験の結果が利用されているようです。なお、英語の試験は自分でTOFLEなどの試験を事前に受けておく必要があります。

（1）（　　　）私費外国人留学生も日本人と同じ入学試験を受けなければならない
（2）（　　　）一次選考を通過しなくても二次選考に進めることが多い
（3）（　　　）日本留学試験の結果だけで合否を判断する学校もある
（4）（　　　）入学試験の内容は全ての学校で書類選考、筆記試験、小論文試験、面接試験がある
（5）（　　　）学校によっては二次（二期）募集がない学校もある

問題２．次の文章を読んで、文章全体の内容を考えて（　　　）に入る言葉を［　　　］から選んで書いてください。

面接試験には、1人で受ける個人面接と、複数で受ける集団面接とがあります。個人面接の場合は、面接官は1名から4名の場合が一般的です。面接の時間は、大体1人にあたり10分から15分程度です。長いところでは30分の場合もあります。服装は正装である必要は必ずしもありませんが、きちんとしているのが理想です。男女ともに（1　　　　）は好まれません。面接試験は、入室から退出までが面接試験となります。入室の際は軽くドアをノックして入室したり、面接官が「どうぞ」と言ってから席に座ったり、退出の際には（2　　　　）と言ってお辞儀をするといったマナーも合否の対象になります。

面接試験では、一般的に日本留学理由や受験理由、将来のことなどについての質問がされます。志望理由書や提出書類を基に面接官が質問することが多いようですから、書いた内容と違うことを言わないよう気をつけてください。事前に体験入学やオープンキャンパスなどに参加していると、入学したいという意欲が伝わり好印象です。

黒髪　　茶髪　　「お疲れ様でした」　　「失礼しました」

読んだ後で

◆話しましょう

日本の入学試験について、どう思いますか？

7．日本で就労できる在留資格の種類

読む前に

◆話しましょう

(1) 日本で就職するにはどうしたらいいと思いますか。

(2) 日本には、どのような仕事があると思いますか。

◆語彙の確認をしましょう

次の漢字は、これから読む文章に出てくる漢字です。それぞれ読み方をひらがなで書いてみてください。意味が分からない場合は、辞書で調べてみてください。

	読み方	意味
1）在留資格		
2）就労可能		
3）変更		
4）従事		
5）技術		
6）人文知識		
7）国際業務		
8）本邦		
9）自然科学分野		
10）人文科学分野		
11）業務		
12）思考		
13）感受性		
14）専攻		
15）関連性		
16）不許可		
17）職種		
18）雇用条件		
19）内定		
20）改善		
21）再申請		

読みましょう

問題１．次の文章を読んで、内容が正しいものには○、まちがっているものには×を書いてください。

もし大学卒業後に日本で就職を希望しているのであれば、現在の在留資格である「留学」を就労可能な就労ビザ（在留資格）に変更をしなければなりません。日本国内の企業で従事する外国人の多くが「技術・人文知識・国際業務」（技人国「ぎじんこく」と略して呼ばれています）の在留資格を取得して働いています。在留資格「技術・人文知識・国際業務」は更新の回数に制限がないため、日本で働き続けることは可能です。

在留資格「技術・人文知識・国際業務」における活動内容については、法務省の「日本において行うことができる活動内容等」によると、「本邦の公私の機関との契約に基づいて行う理学、工学その他の自然科学の分野もしくは法律学、経済学、社会学その他の人文科学の分野に属する技術もしくは知識を要する業務又は外国の文化に基盤を有する思考もしくは感受性を必要とする業務に従事する活動。該当例としては、機械工学等の技術者、通訳、デザイナー、私企業の語学教師など。」と述べられています。

留学から就労できる在留資格への変更については、大学での専攻内容とこれから従事する業務内容の関連性で判断されますから、関連のない業務では変更不許可になる場合があるので注意が必要です。しかし、申請の際、採用の理由、職種、雇用条件などが出入国在留管理庁（入管）の条件に合わず不許可になり、帰国しなければならない留学生も少なくないと言われています。審査で不許可になった場合でも、在留期間が残っていれば、再申請することができます。ただし、不許可の理由が改善されなければ、再申請をしても許可を得ることはできません。

大学等の在学中に就職先が内定した方や、大学等を卒業後、継続就職活動中に就職先が内定した方が、企業に採用されるまでの間本邦に滞在することを希望される場合、一定の要件を満たせば、採用時期までの滞在を目的とした「特定活動」の在留資格への変更が認められ、本邦に継続して滞在することが可能です。

就労できる在留資格への変更については、専修学校の専門課程を修了した者については、修了していることのほか、①本邦において専修学校の専門課程の教育を受け、「専修学校の専門課程の修了者に対する専門士及び高度専門士の称号の付与に関する規程」（平成６年文部省告示第８４号）第２条の規定により専門士と称することができること、②同規程第３条の規定により高度専門士と称することができること、が必要です。なお、本邦の専門学校を卒業し、「専門士」の称号を付与された者が本国の大学も卒業しているときは、専門学校において修得した内容、又は本国の大学において修得した内容が従事しようとする業務と関連していれば、基準を満たすことになります。

（１）（　　　）　日本で就職するためには「留学」から就労可能な在留資格に変更する必要がある。

（２）（　　　）　大学卒であれば誰でも「技術・人文知識・国際業務」の在留資格に変更できる。

（３）（　　　）　大学の専攻・研究と関係ない仕事をすることは難しい。

（４）（　　　）　再申請は何度でもできるが、不許可の理由が改善されなければ再申請しても、許可を得ることは難しい。

（５）（　　　）　日本の専門学校を卒業した後に大学に編入学した場合は、大学在籍中は日本で就職することはできない。

問題２．次の文章を読んで、文章全体の内容を考えて（　　　）に入る言葉を［　　　］から選んで書いてください。

大学や専門学校を卒業するまでに就職が決まらなかった場合でも、「留学」から「(継続就職活動のための)（１　　　　　）」へ在留資格の変更手続きを行うことによって、大学や専門学校卒業後に日本で就職活動を半年（1度だけ更新が認められるため、最大約1年間)、継続して行うことができます。資格外活動許可の申請をすれば在留資格「留学」同様にアルバイトすることもできます。

しかし、卒業後の就職活動には注意が必要です。通常の「(２　　　　　）採用」と異なるスケジュールで活動しなければならないため、情報が集まりにくかったり、採用が決まっても、翌年の4月まで入社を待たされたりすることがあります。

短期滞在　　特定活動　　新卒　　中途

読んだ後で

◆話しましょう

卒業後に日本で仕事をすることについて、どう思いますか。

8．在留資格の更新・変更

読む前に

◆話しましょう

(1)もし、在留資格の更新や変更ができなかったら、あなたはどうしますか。

(2)在留資格の更新や変更ができない理由は何だと思いますか。

◆語彙の確認をしましょう

次の漢字は、これから読む文章に出てくる漢字です。それぞれ読み方をひらがなで書いてみてください。意味が分からない場合は、辞書で調べてみてください。

	読み方	意味
1）偽装		
2）法務大臣		
3）裁量		
4）勘案する		
5）考慮する		
6）該当性		
7）要件		
8）上陸		
9）原則		
10）適当		
11）素行		
12）（生計を）営む		
13）納税義務		
14）履行する		
15）届出		
16）風俗営業		
17）従事する		
18）最低賃金法		
19）資格外活動		
20）制限時間		
21）強制退去		

読みましょう

問題１．次の文章を読んで、内容が正しいものには○、まちがっているものには×を書いてください。

留学生については、日本での就労を目的とした「偽装留学生」が大きな社会問題となっています。留学生が在留資格「留学」を更新したり在留期間を変更したりすることについては、法務省の「在留資格の変更，在留期間の更新許可のガイドライン」（令和２年２月改定）に以下のように述べられています。

在留資格の変更及び在留期間の更新は、出入国管理及び難民認定法（ 以下「入管法」という。）により、法務大臣が適当と認めるに足りる相当の理由があるときに限り許可することとされており、この相当の理由があるか否かの判断は、もっぱら法務大臣の自由な裁量に委ねられ、申請者の行おうとする活動、在留の状況、在留の必要性等を総合的に勘案して行っているところ、この判断に当たっては，以下のような事項を考慮します。ただし、以下の事項のうち、１の在留資格該当性については、許可する際に必要な要件となります。また、２の上陸許可基準については、原則として適合していることが求められます。３以下の事項については、適当と認める相当の理由があるか否かの判断に当たっての代表的な考慮要素であり、これらの事項にすべて該当する場合であっても、すべての事情を総合的に考慮した結果、変更又は更新を許可しないこともあります。

1 行おうとする活動が申請に係る入管法別表に掲げる在留資格に該当すること
2 法務省令で定める上陸許可基準等に適合していること
3 現に有する在留資格に応じた活動を行っていたこと
4 素行が不良でないこと
5 独立の生計を営むに足りる資産又は技能を有すること
6 雇用・労働条件が適正であること
7 納税義務を履行していること
8 入管法に定める届出等の義務を履行していること

また、法務省の在留資格関係公表資料「日本語教育機関への入学をお考えのみなさまへ」で「学費および生活費について」以下のように述べられています。

「留学」は働くことが認められない在留資格ですが，資格外活動許可（アルバイトの許可）を受けた場合には，１週につき２８時間以内（長期休業期間（夏休み等）については１日８時間以内）のアルバイトが認められます（風俗営業店舗等を除く。）。

留学生が従事するアルバイトの時給においても，最低賃金法が適用されますが，時給については地域により異なります（注）。一般的に，１週につき２８時間以内のアルバイトをした場合に得られる収入は，（税引き前で）月８万円から１１万円程度である点に留意する必要があります。

（注）地域ごとに最低賃金が定められており，７９０円から１０１３円の範囲となっています（令和元年度）。

資格外活動許可で認められた制限時間を超えてアルバイトをした場合，退去強制されたり在留期間の更新が認められず，学業の継続ができなくなる場合がありますので注意が必要です。

したがって，日本で安定した留学生活を送るためには，これらのことを念頭に資金計画を立てる必要があります。なお，学費・生活費の全額をアルバイトで賄うということは認められません。

（１）（　　　）在留資格の変更又は更新が許可されない場合もある。
（２）（　　　）学校の成績が悪いと変更又は更新ができない場合もある。
（３）（　　　）留学生が日本でアルバイトすることについて制限はない。
（４）（　　　）留学生は資格外活動許可を申請しないとアルバイトすることができない。
（５）（　　　）親に迷惑をかけないためにも、アルバイトをして自分で生活費や学費の全額を用意することは問題ない。

問題２．次の文章を読んで、文章全体の内容を考えて（　　　）に入る言葉を［　　　］から選んで書いてください。

在留資格を「留学」から他の在留資格へ変更するには「技術・人文知識・国際業務（技人国)」のほかに「特定技能」「（１　　　　）（告示第 46 号：本邦大学卒業者)」があります。時代背景により新たな在留資格を創設されることがあります。

また、最近は、在留資格の変更又は更新の時に、直近２年分の所得証明書や課税証明書、（２　　　　）を求められることが増えてきました。場合によっては入国出国管理庁（入管）から、来日してから現在までのアルバイト先情報、給与が振込まれた通帳の全ページコピー、給与明細書全てのコピー等を提出するように求められます。

短期滞在	特定活動	納税証明書	成績証明書

読んだ後で

◆話しましょう

卒業後に日本で仕事をすることについて、どう思いますか。

まとめシート【読解編】

◆次の質問に答えてください。

問1　5年後にどこで何をしていると思いますか？

例：どこで：(　日本で　)
　　何をしている：(　旅行会社で働いている　)

①どこで：(　　　　　　　)
②何をしている：(　　　　　　　　　　　　　　　)

問2　問1を可能にするために、どのような条件がありますか？
どんな資格が必要ですか？在留資格は何ですか？

例：主な資格は：(　日本語能力試験 N1　) が必要
　　在留資格は：(　　国際業務　　)

①資格は：(　　　　　　　　　　　　　　　　　　) が必要
②在留資格は：(人文知識・国際業務・技術・技能・留学・その他【　　　　　　　】)

問3　問2の資格を得るには、どこで何を勉強しなければなりませんか？

例：どこで：(　　大学　　　)
　　何を：(　　観光学　　) を勉強しなければならない

①どこで：(　　　　　　　　　　)
②何を：(　　　　　　　　　　　　　　　　　) を勉強しなければならない

問4　志望校はどこですか？

例：第1希望：国際観光大学　観光学部　観光学科
　　第2希望：日本国際大学　ビジネス観光学部　ビジネス観光学科

①第1希望：(　　　　　　　　　　　　　　　　　　　　　　)
②第2希望：(　　　　　　　　　　　　　　　　　　　　　　)

＊入学願書を入手して出願書類を準備しましょう！

第２部
入学試験（面接）のための発話練習
【会話編】

A　独話形式
（談話の構造を意識したスピーチ練習）

A 独話形式では、談話の構造を意識したスピーチ練習をします。面接での基本的な質問の答えを 30 秒から 1 分程度で簡素に話すことができるように練習しましょう。

１．日本へ留学しようと思った理由

はじめに

１．あなたの国の人にとって日本はどんな印象がありますか。
２．日本語を勉強しようと思ったのはどうしてですか。
３．５年後の自分はどこで何をしていると思いますか。

意識化

◆大学（専門学校）の面接試験で、面接官に「あなたはどうして日本へ留学しようと思いましたか」と質問されました。次の文はその回答です。

問題１．次の例は悪い例です。何が悪いかを考えてみてください。

> 私は、本当は留学したくなかったのですが、親に日本へ留学するように言われて日本へ来ました。日本に来たときは国に帰りたかったですが、今は、日本での生活が楽しいです。ですから、まだ国に帰りたくありません。日本ではお金がないのでアルバイトしながら大学で勉強したいと思っています。毎日アルバイトしながら勉強するのは大変ですが頑張ります。宜しくお願いします。

問題２．次に正しい例を考えてみましょう。下の【　　　】から適当な言葉を選んで、必要なら形を変えて（　　　）に書いてください。

【　まず　次に　また　最後に　だから　それで　】

> 日本へ留学した理由は２つあります。（１　　　）１つ目ですが、なぜ日本人はきれい好きな人が多いのかを知りたかったからです。私の父は中国でホテルや旅行社を経営しています。私の出身地は有名な観光地で、日本からも日本人観光客がたくさん来ます。父のホテルにも日本人の観光客がたくさん宿泊するのですが、いつも日本人のお客さんは部屋をきれいに使用してくれます。私にとって、それがとても不思議でした。（２　　　）、なぜ日本人はきれい好きな人が多いかを知りたくて、日本へ留学しようと思いました。（３　　　）、２つ目の理由としては、日本には親戚や友達がたくさんいるので、安心して留学できると思ったからです。

談話構成の確認

◆談話構成や使用語彙を確認しましょう。

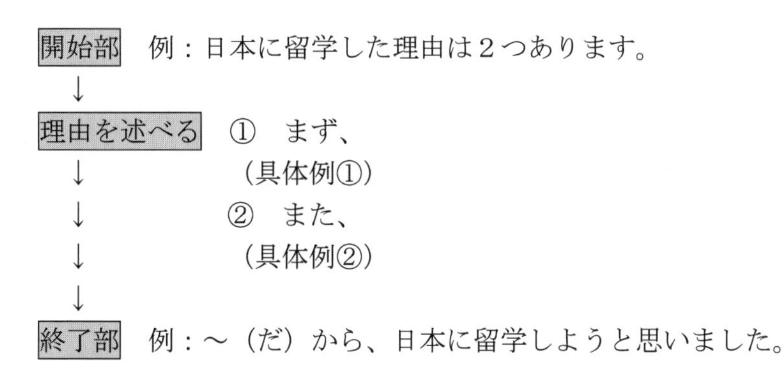

開始部　例：日本に留学した理由は２つあります。
↓
理由を述べる　①　まず、
↓　（具体例①）
↓　②　また、
↓　（具体例②）
↓
終了部　例：～（だ）から、日本に留学しようと思いました。

■NG ワード■
×親に言われたから。
×本当はアメリカに行きたかったが、行くことができなかったから仕方がなく来た。
×日本語の漢字や会話の勉強がしたいから。等

構成メモ作成

◆日本に来た理由を簡単に箇条書きで書いてみましょう。
＊1 分くらいの内容で考えてみましょう。理由は２つぐらいが適当です。
＊日本に来た理由を自分の勉強したいことと関係づけて考えてみましょう。
＊なぜ自分の国やアメリカではなく日本で勉強したいのかを考えてみましょう。

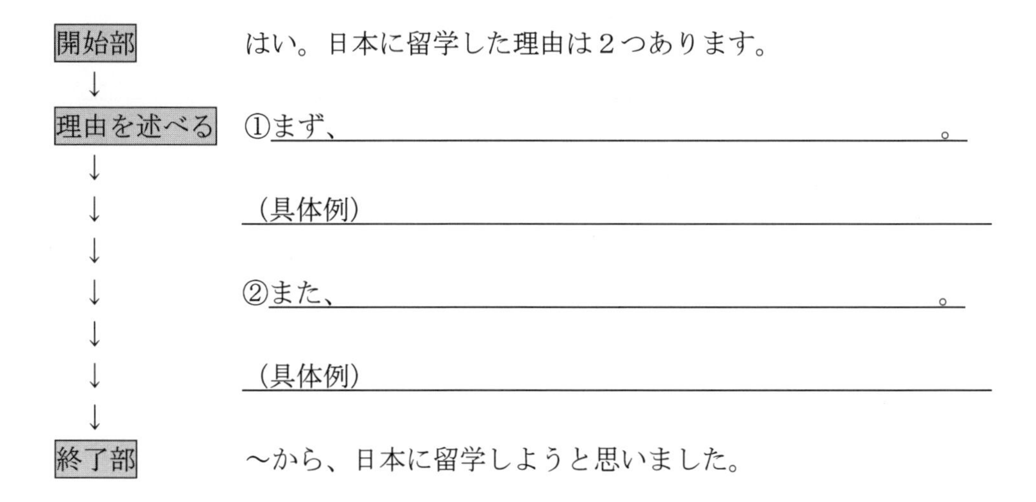

開始部　はい。日本に留学した理由は２つあります。
↓
理由を述べる　①まず、＿＿＿＿＿＿＿＿＿＿＿＿＿＿。
↓
↓　（具体例）＿＿＿＿＿＿＿＿＿＿＿＿＿＿
↓
↓　②また、＿＿＿＿＿＿＿＿＿＿＿＿＿＿。
↓
↓　（具体例）＿＿＿＿＿＿＿＿＿＿＿＿＿＿
↓
終了部　～から、日本に留学しようと思いました。

発表

◆発表者は実際の面接だと思って皆さんの前で話してみましょう。

＊談話構成を意識して話しましょう。

＊声の大きさや目線なども気をつけましょう。

＊メモや原稿は見ないで話しましょう。

◆発表を聞く人は、友達の発表を聞いて感想を言ってあげましょう。

＊発表者の「良かった点」をほめてあげましょう。

☞「チェックシート」は別途資料を使ってください。

作文

◆実際に質問に答えるように書いてみましょう。

____

____

____

____

____

____

____

____

____

____

振り返り

◆自分の発表について評価しましょう。

＊評価のところに自己評価を記号（○、△、×）で書いてください。

・よい（○）
・ふつう（△）
・もう少し（×）

評価項目		評価
構成	質問に対して適切な回答が提示できましたか？	
態度	聞き手（面接官）を意識して話ができましたか？	
音声	話すスピードや声の大きさはよかったですか？	
表現	適切な表現が使えていましたか？	
その他	自己アピールができたと思いますか？	

＊今回発表してみて気がついたことなどがあったら書いてください。

＿＿＿＿＿＿＿＿＿＿＿＿＿＿＿＿＿＿＿＿＿＿＿＿＿＿＿＿＿＿

＿＿＿＿＿＿＿＿＿＿＿＿＿＿＿＿＿＿＿＿＿＿＿＿＿＿＿＿＿＿

＿＿＿＿＿＿＿＿＿＿＿＿＿＿＿＿＿＿＿＿＿＿＿＿＿＿＿＿＿＿

＜教師からのコメント＞

２．この学校を志望した理由

はじめに

１．あなたはこの学校をどうやって知りましたか。
２．この学校を志望した理由はなんですか。
３．この学校で特に何が勉強したいですか。

意識化

◆大学（専門学校）の面接試験で、面接官に「あなたはどうしてこの学校を志望したのですか」と質問されました。次の文はその回答です。

問題１．次の例は悪い例です。何が悪いかを考えてみてください。

貴校は日本で有名な学校で、優秀な先生もたくさんいます。施設も充実しているし学費も安いので、私はぜひこの学校で勉強がしたいと思っています。私にとってこの学校は勉強するのにとても良い環境だと思います。この学校で勉強し将来は日本の会社で働きたいと思っているので、この学校を受験しました。

問題２．次に正しい例を考えてみましょう。下の【　　　】から適当な言葉を選んで、必要なら形を変えて（　　　）に書いてください。

【志望　希望　それで　また　科目　学部】

貴校を（１　　　　　）した理由は２つあります。まず、日本語学校の先生からの紹介で先月貴校でのオープンキャンパスに参加したのですが、運動場や学食などの施設がたくさんあり、とても勉強しやすい環境だと思いました。貴校でなら充実した学校生活が送れると思ったからです。（２　　　　　）、私が勉強したいホテル経営学や観光学についての（３　　　　　）も貴校では充実しているので、ぜひ貴校で勉強したいと思って受験しました。

談話構成の確認

◆談話構成や使用語彙を確認しましょう。

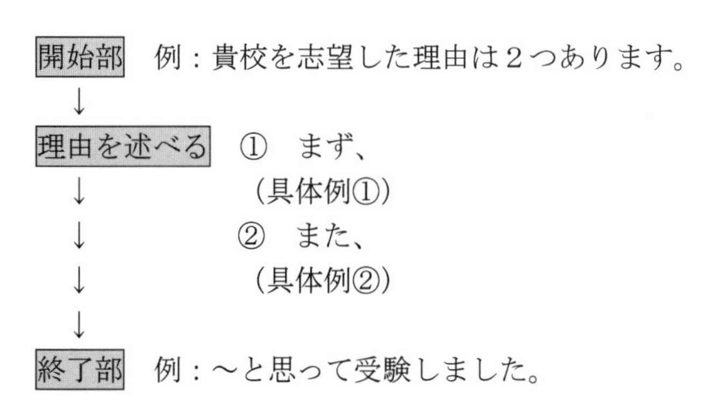

■ NG ワード■

×貴校は有名だから。
×貴校の教授陣は優秀だから。
×貴校は学費が安いから。等

構成メモ作成

◆この学校を志望した理由を簡単に<u>箇条書き</u>で書いてみましょう。

＊1 分くらいの内容で考えてみましょう。理由は２つぐらいが適当です。
＊志望理由を自分の勉強したいことと関係づけて考えてみましょう。
＊なぜ他の学校ではなくこの学校で勉強したいのかを考えてみましょう。

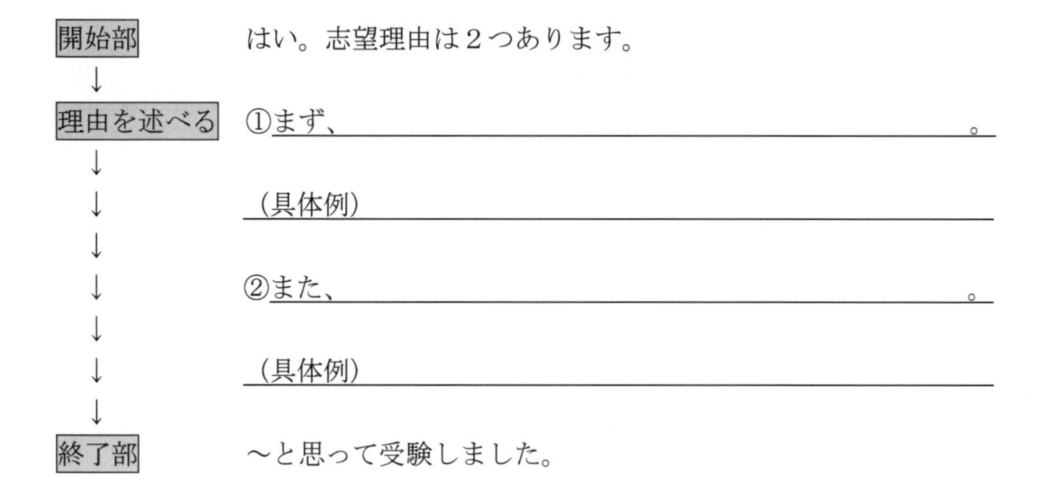

発表

◆発表者は実際の面接だと思って皆さんの前で話してみましょう。

＊談話構成を意識して話しましょう。

＊声の大きさや目線なども気をつけましょう。

＊メモや原稿は見ないで話しましょう。

◆発表を聞く人は、友達の発表を聞いて感想を言ってあげましょう。

＊発表者の「良かった点」をほめてあげましょう。

☞「チェックシート」は別途資料を使ってください。

作文

◆実際に質問に答えるように書いてみましょう。

____

____

____

____

____

____

____

____

____

____

振り返り

◆自分の発表について評価しましょう。
＊評価のところに自己評価を記号（○、△、×）で書いてください。

・よい（○）
・ふつう（△）
・もう少し（×）

評価項目		評価
構成	質問に対して適切な回答が提示できましたか？	
態度	聞き手（面接官）を意識して話ができましたか？	
音声	話すスピードや声の大きさはよかったですか？	
表現	適切な表現が使えていましたか？	
その他	自己アピールができたと思いますか？	

＊今回発表してみて気がついたことなどがあったら書いてください。

＿＿＿＿＿＿＿＿＿＿＿＿＿＿＿＿＿＿＿＿＿＿＿＿＿＿＿＿＿＿＿＿

＿＿＿＿＿＿＿＿＿＿＿＿＿＿＿＿＿＿＿＿＿＿＿＿＿＿＿＿＿＿＿＿

＿＿＿＿＿＿＿＿＿＿＿＿＿＿＿＿＿＿＿＿＿＿＿＿＿＿＿＿＿＿＿＿

＜教師からのコメント＞

３．どんな学生生活を送りたいか

はじめに

１．あなたは国でどんな生活をしていましたか。
２．今、日本でどんな生活をしていますか。
３．あなたはアルバイトしながら勉強することについてどう思いますか。

意識化

◆大学（専門学校）の面接試験で、面接官に「あなたはこの学校でどんな生活を送りたいですか」と質問されました。次の文はその回答です。

問題１．次の例は悪い例です。何が悪いかを考えてみてください。

私は、貴校に入学したら、アルバイトをして学費をためるつもりです。留学生はお金がないので、アルバイトしながら勉強しなければなりません。日本のことを知るために日本人の友達をたくさん作り、そして色々遊びたいと思っていますが、アルバイトの時間が忙しいので遊ぶ時間がないと思います。もし、奨学金がもらえたら日本人と同じようにたくさん遊びたいと思っています。

問題２．次に正しい例を考えてみましょう。下の【　　　】から適当な言葉を選んで、必要なら形を変えて（　　　）に書いてください。

【 通して　もとに　あげたい　もらいたい　両立　確立 】

私は、日本の剣道に興味がありますから、まず、剣道のサークルに入り剣道を（１　　　　　）いろいろな日本の文化や習慣について学びたいと思っています。それから、中国語を勉強したいという人がいたら、是非教えて（２　　　　　）と思っています。そうすれば、中国の事に興味をもってもらえると思うし、講義で分からなかったところなどを教えてもらえるかもしれないからです。大変だとは思いますが、一生懸命勉強とサークル活動を（３　　　　　）できるよう頑張りたいと思います。

談話構成の確認

◆談話構成や使用語彙を確認しましょう。

開始部　例：私は～に興味があります。
↓
説明する　①　まず、
↓　（具体例①）
↓　②　それから、
↓　（具体例②）
↓
終了部　例：。勉強とサークル活動が両立できるように頑張りたいと思います。

■NG ワード■
×学費のためにアルバイトしたい。
×日本人とたくさん遊びたい。
×専門の勉強だけをしたい。等

構成メモ作成

◆どんな学生生活を送りたいかを簡単に<u>箇条書き</u>で書いてみましょう。
＊1分くらいの内容で考えてみましょう。
＊学校生活でしたいことを2つ程度書いてみましょう。
＊勉強のことも話しましょう。学生の仕事は勉強することですから。

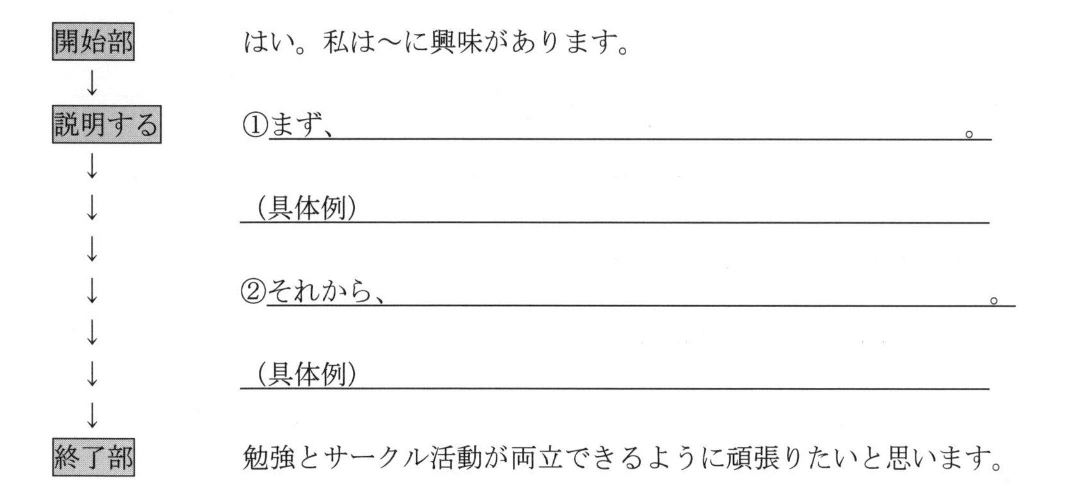

開始部　はい。私は～に興味があります。
↓
説明する　①まず、＿＿＿＿＿＿＿＿＿＿＿＿＿＿＿＿＿＿。
↓
↓　（具体例）＿＿＿＿＿＿＿＿＿＿＿＿＿＿＿＿＿＿
↓
↓　②それから、＿＿＿＿＿＿＿＿＿＿＿＿＿＿＿＿＿＿。
↓
↓　（具体例）＿＿＿＿＿＿＿＿＿＿＿＿＿＿＿＿＿＿
↓
終了部　勉強とサークル活動が両立できるように頑張りたいと思います。

発表

◆発表者は実際の面接だと思って皆さんの前で話してみましょう。
＊談話構成を意識して話しましょう。
＊声の大きさや目線なども気をつけましょう。
＊メモや原稿は見ないで話しましょう。

▽発表を聞く人は、友達の発表を聞いて感想を言ってあげましょう。
＊発表者の「良かった点」をほめてあげましょう。

☞「チェックシート」は別途資料を使ってください。

作文

◆実際に質問に答えるように書いてみましょう。

振り返り

◆自分の発表について評価しましょう。
＊評価のところに自己評価を記号（○、△、×）で書いてください。

・よい（○）
・ふつう（△）
・もう少し（×）

評価項目		評価
構成	質問に対して適切な回答が提示できましたか？	
態度	聞き手（面接官）を意識して話ができましたか？	
音声	話すスピードや声の大きさはよかったですか？	
表現	適切な表現が使えていましたか？	
その他	自己アピールができたと思いますか？	

＊今回発表してみて気がついたことなどがあったら書いてください。

____

____

____

＜教師からのコメント＞

４．卒業後の希望や予定

はじめに

１．あなたは将来どんな人間になりたいですか。
２．国に帰ったらどんな仕事をしたいですか。
３．日本で仕事をすることについてどう思いますか。

意識化

◆大学（専門学校）の面接試験で、面接官に「あなたはこの学校を卒業して何をしたいと思っていますか」と質問されました。次の文はその回答です。

問題１．次の例は悪い例です。何が悪いかを考えてみてください。

私は、貴校を卒業したら大学院へ進学するか帰国するか日本で働くかまだ決めていません。今決めても大学に入ったら考えも変わると思います。それに、今は貴校に入学できるかどうかが大切だと思いますから、他のことは考えることができません。宜しくお願いします。

問題２．次に正しい例を考えてみましょう。下の【　　　】から適当な言葉を選んで、必要なら形を変えて（　　　）に書いてください。

【まず　なぜなら　いらっしゃいませ　もてなし　役に立つ　便利な】

私は、貴校を卒業したら日本のホテルで働きたいと思っています。（１　　　　　）、日本のホテルのシステムは私達の国と違うからです。それに、特に日本人独特のサービス精神「（２　　　　　）の心」を勉強することは、私たち外国人にとっても大切なことだと思います。私は将来国に帰って父が経営しているホテルで働くつもりですが、日本での仕事経験は必ず（３　　　　　）ものだと思っています。

話構成の確認

◆談話構成や使用語彙を確認しましょう。

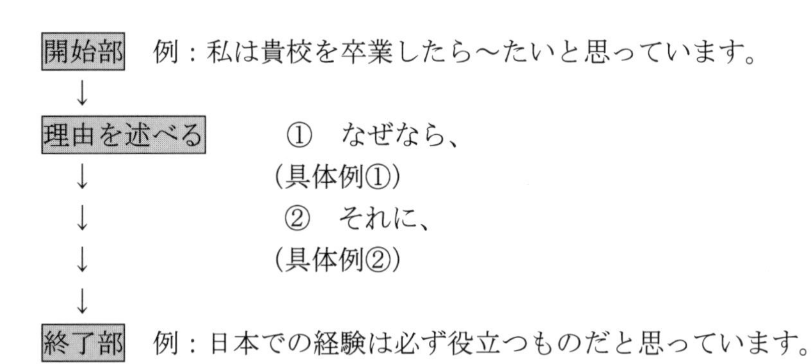

■NG ワード■

×まだ分からない。決めていない。
×今は景気が悪いから、就職環境が良くなるまで大学院で勉強するつもり。
×国に帰って結婚したい。等

構成メモ作成

◆卒業後の希望や予定を簡単に<u>箇条書き</u>で書いてみましょう。

＊1分くらいの内容で考えてみましょう。
＊卒業後にしたいことを2つ程度書いてみましょう。
＊学校の勉強と関係のある仕事を考えましょう。

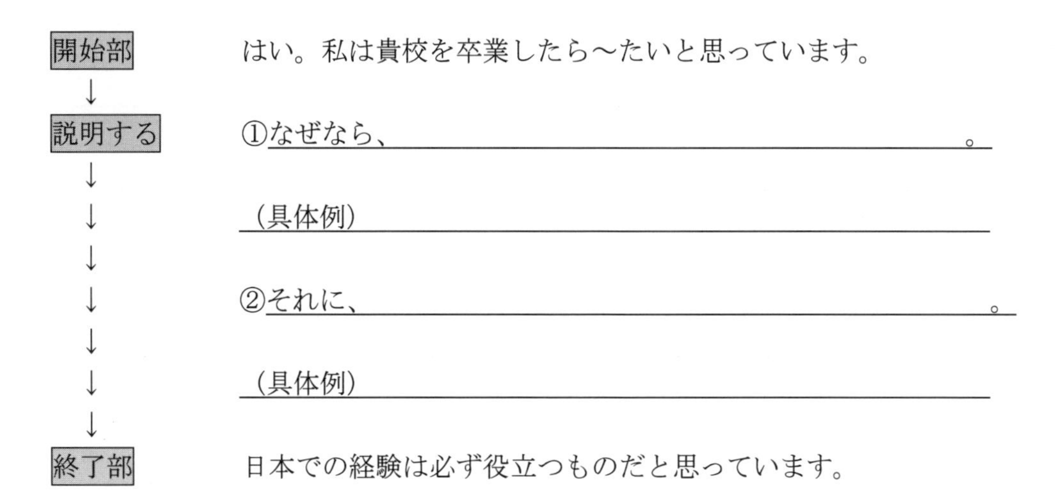

発表

◆発表者は実際の面接だと思って皆さんの前で話してみましょう。

＊談話構成を意識して話しましょう。

＊声の大きさや目線なども気をつけましょう。

＊メモや原稿は見ないで話しましょう。

◆発表を聞く人は、友達の発表を聞いて感想を言ってあげましょう。

＊発表者の「良かった点」をほめてあげましょう。

☞「チェックシート」は別途資料を使ってください。

作文

◆実際に質問に答えるように書いてみましょう。

振り返り

◆自分の発表について評価しましょう。
＊評価のところに自己評価を記号（○、△、×）で書いてください。

・よい（○）
・ふつう（△）
・もう少し（×）

評価項目		評価
構成	質問に対して適切な回答が提示できましたか？	
態度	聞き手（面接官）を意識して話ができましたか？	
音声	話すスピードや声の大きさはよかったですか？	
表現	適切な表現が使えていましたか？	
その他	自己アピールができたと思いますか？	

＊今回発表してみて気がついたことなどがあったら書いてください。

____

____

____

＜教師からのコメント＞

５．学費は誰が負担するのか

はじめに

１．今、あなたはアルバイトをしていますか。
２．ご両親の仕事は何ですか。
３．あなたの学費はだれが払いますか。

意識化

◆大学（専門学校）の面接試験で、面接官に「学費は誰が負担しますか」と質問されました。次の文はその回答です。

問題１．次の例は悪い例です。何が悪いかを考えてみてください。

入学金や学費などの進学費用を払うと貯金がなくなってしまいます。両親はすでに退職していて仕事をしていないので頼ることはできません。ですから、入学したら奨学金をもらいたいですが、それだけでは生活が出来ないと思いますから、アルバイトをして学費をためるつもりです。

問題２．次に正しい例を考えてみましょう。下の【　　　】から適当な言葉を選んで、必要なら形を変えて（　　　）に書いてください。

【 確立　両立　答えられる　報われる　返すこと　借りること 】

学費などは両親に援助をしてもらう予定です。両親も勉強に専念するようにと言っています。ですから、両親の期待に（１　　　　　）よう頑張って勉強したいと思っています。大学を卒業した後は、日本で仕事をして、両親や親せきに借りた学費を（２　　　　　）ができるように頑張ります。それに、日本での生活費は自分で払いたいので、日本のルールを守ってアルバイトはしようと思っています。アルバイトと勉強を頑張って（３　　　　　）するつもりです。

談話構成の確認

◆談話構成や使用語彙を確認しましょう。

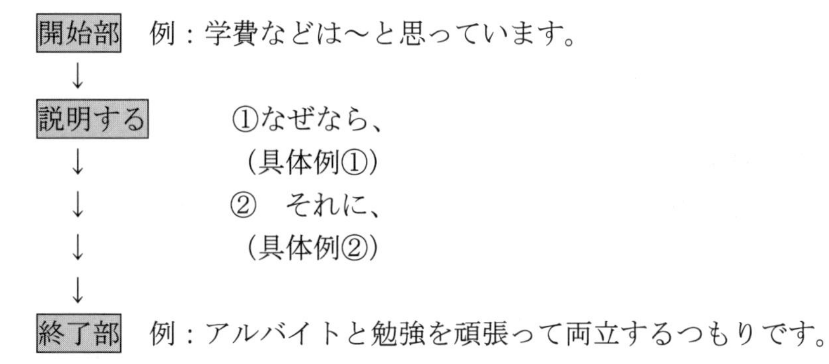

■NG ワード■
×貯金がない。お金がない。
×両親に頼ることができない。
×援助してもらえない。等

構成メモ作成

◆学費は誰が負担するのかを簡単に箇条書きで書いてみましょう。
＊1分くらいの内容で考えてみましょう。

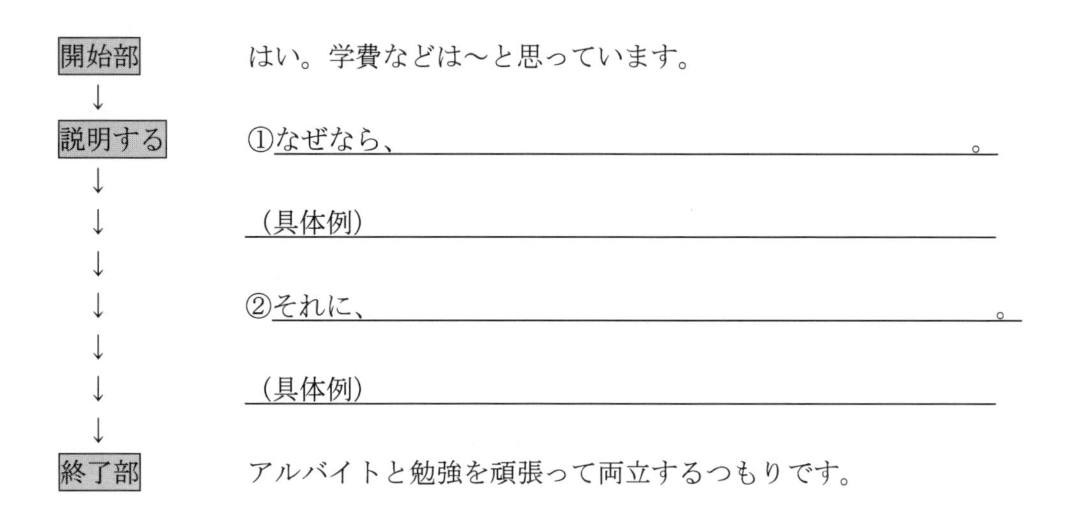

発表

◆発表者は実際の面接だと思って皆さんの前で話してみましょう。

＊談話構成を意識して話しましょう。

＊声の大きさや目線なども気をつけましょう。

＊メモや原稿は見ないで話しましょう。

◆発表を聞く人は、友達の発表を聞いて感想を言ってあげましょう。

＊発表者の「良かった点」をほめてあげましょう。

☞「チェックシート」は別途資料を使ってください。

作文

◆実際に質問に答えるように書いてみましょう。

振り返り

◆自分の発表について評価しましょう。
＊評価のところに自己評価を記号（○、△、×）で書いてください。

・よい（○）
・ふつう（△）
・もう少し（×）

評価項目		評価
構成	質問に対して適切な回答が提示できましたか？	
態度	聞き手（面接官）を意識して話ができましたか？	
音声	話すスピードや声の大きさはよかったですか？	
表現	適切な表現が使えていましたか？	
その他	自己アピールができたと思いますか？	

＊今回発表してみて気がついたことなどがあったら書いてください。

＜教師からのコメント＞

６．他の学校も受験しているか

はじめに

１．あなたの国では複数の学校を同時に受験することができますか？
２．複数の学校を受験することについてどう思いますか？
３．他に行きたい学校がある場合はどうしますか？

意識化

◆大学（専門学校）の面接試験で、面接官に「他の学校も受験していますか」と質問されました。次の文はその回答です。

問題１．次の例は悪い例です。何が悪いかを考えてみてください。

はい。貴校の他に国立大学も受験することになると思います。国立大学が第一志望なのですが、今の実力では多分国立大学は無理だと思います。ですから、もし国立大学が不合格になった場合のことも考えて、念のために入学しやすいと言われている貴校を受験するよう日本語学校の先生に言われて、受験しました。

問題２．次に正しい例を考えてみましょう。下の【　　　】から適当な言葉を選んで、必要なら形を変えて（　　　）に書いてください。

【 第一　第二　はず　予定　それで　だから 】

はい。貴校の他に国立大学も受験する（１　　　　　）です。本当は国立大学が（２　　　　　）志望なのですが、今の自分の実力では合格は難しいと思っています。貴校は先月オープンキャンパスに参加したときに、係りの人がとても親切に学校を案内してくれて、とても感動しました。日本語学校の先生も貴校を受験するよう勧めてくれたので、（３　　　　　）、今回、貴校を受験することにしました。

談話構成の確認

◆談話構成や使用語彙を確認しましょう。

開始部　例：貴校の他にも受験する予定です。
↓
説明する　＊第一希望校であれば、「しかし、もし合格できれば、貴校に入学したいと思っています」と答えましょう。（第二希望校であれば、どうして受験することにしたのか理由を述べましょう。）
↓
↓
↓
↓
終了部　例：それで、今回、貴校を受験することにしました。

■NG ワード■
×この学校だけです（もし、他の学校も受験する場合は正直に言いましょう）
×他の学校が不合格になった場合の「すべり止め」で受ける

構成メモ作成

◆他の学校も受験しているかを簡単に箇条書きで書いてみましょう。
＊1 分くらいの内容で考えてみましょう。

開始部　はい。貴校の他にも受験する予定です。
↓
説明する　（第二希望校の場合）
↓
↓　＿＿＿＿＿＿＿＿＿＿＿＿＿＿＿＿＿＿＿＿
↓
↓　＿＿＿＿＿＿＿＿＿＿＿＿＿＿＿＿＿＿＿＿
↓
↓　＿＿＿＿＿＿＿＿＿＿＿＿＿＿＿＿＿＿＿＿
↓
終了部　それで、今回、貴校を受験することにしました。

発表

◆発表者は実際の面接だと思って皆さんの前で話してみましょう。

＊談話構成を意識して話しましょう。
＊声の大きさや目線なども気をつけましょう。
＊メモや原稿は見ないで話しましょう。

◆発表を聞く人は、友達の発表を聞いて感想を言ってあげましょう。

＊発表者の「良かった点」をほめてあげましょう。

☞「チェックシート」は別途資料を使ってください。

作文

◆実際に質問に答えるように書いてみましょう。

振り返り

◆自分の発表について評価しましょう。
＊評価のところに自己評価を記号（○、△、×）で書いてください。

・よい（○）
・ふつう（△）
・もう少し（×）

評価項目		評価
構成	質問に対して適切な回答が提示できましたか？	
態度	聞き手（面接官）を意識して話ができましたか？	
音声	話すスピードや声の大きさはよかったですか？	
表現	適切な表現が使えていましたか？	
その他	自己アピールができたと思いますか？	

＊今回発表してみて気がついたことなどがあったら書いてください。

＿＿

＿＿

＿＿

＜教師からのコメント＞

B　対話形式
（発話の機能を意識しロールプレイ練習）

B 対話形式では、発話の機能を意識したロールプレイ練習をします。面接での質疑応答に対応できるような必要な機能（聞き返したり言い換えたりすること）を意識して練習しましょう。

1．聞き返す

はじめに

1．質問の意味が分からなかった時はどうしますか。
2．質問の意味が分からなかった時、質問者に何と言いますか。
3．何度も聞き返す人をどのように思いますか。

意識化

◆大学（専門学校）の面接試験で、面接官に「あなたはどうして日本へ留学しようと思いましたか」と質問されました。次の文はその回答です。

面接官：日本留学の動機を教えてください。
受験生：すみません。もう一度お願いします。
面接官：どうして日本へ来ましたか？動機を教えて下さい。
受験生：すみません。はやくて分かりません。もう一度お願いします。
面接官：日本留学の動機は何ですか？
受験生：どうき…。どうき、分かりません。
面接官：分からないんですか？じゃあ、もう結構です。では、次の質問をします。

問題1．これは悪い例です。何が悪いかを考えてみてください。

問題2．次に正しい例を考えてみましょう。（　　　　）に入る言葉を考えて書いてください。

面接官：日本留学の動機を教えてください。
受験生：（1　　　　　）。もう少しゆっくり話していただけますか…。
面接官：日本留学の動機を教えてください。
受験生：どうき…？（首をかしげる）
面接官：日本へ来た理由は？
受験生：（2　　　　　）、日本へ来た理由は、日本の伝統文化を勉強したかったからです。小さいときから日本のアニメや小説に興味がありました。
面接官：ああ、そうですか。分かりました。では、次の質問です。

談話構成の確認

◆談話構成や使用語彙を確認しましょう。

面接官	受験者
①質問する	
	②聞き取れなかったので再度質問を要求する 例：すみません、聞き取れなかったのでもう一度おねがいします。
③要求に応える 今度はゆっくり言う	
	④語彙が分からなかったので面接官に分からないことを察知してもらう 例：首をかしげる等
⑤察知する 違う言葉に置き換えて再質問する	
	⑥質問を理解し、質問に答える 例：ああ、(理解したとき) 日本へ来た理由は…
⑦理解する	

■会話の技術■

①質問が分からなかった時は、どうして分からなかったのかを言いましょう。
例：すみません。もう一度ゆっくり話していただけませんか。
例：すみません。もう少し大きな声で話していただけませんか。
例：すみません。○○という言葉の意味は何ですか？

②分からないからといって何度も聞き返すのは失礼です。そのときは非言語メッセージも活用しましょう。
例：分からない言葉だけを「分からない！」という感じで言葉に出して言う。
例：首を傾ける

③理解したときは、「分かった！」という表情をしましょう。
例：ああ～↑　　＊ああ～↓ではありません。

発表 ロールプレイ練習

ロールカード

面接官の言っていることが速くて聞き取れません。もう一度ゆっくり話してもらってください。また、意味の分からない言葉があれば、意味が理解できていないことを面接官に気づいてもらうような態度をしてください。

◆発表者は面接官と話すように話してみましょう。
＊声の大きさや目線なども気をつけましょう。
＊メモや原稿は見ないで話しましょう。

◆発表を聞く人は、友達の発表を聞いて感想を言ってあげましょう。
＊発表者の「良かった点」をほめてあげましょう。

☞「チェックシート」は別途資料を使ってください。

振り返り

◆自分の発表について評価しましょう。

＊評価のところに自己評価を記号（○、△、×）で書いてください。

・よい（○）
・ふつう（△）
・もう少し（×）

評価項目		評価
構成	質問に対して適切な回答が提示できましたか？	
態度	聞き手（面接官）を意識して話ができましたか？	
音声	話すスピードや声の大きさはよかったですか？	
表現	適切な表現が使えていましたか？	
その他	聞き返しはできていましたか？	

＊今回発表してみて気がついたことなどがあったら書いてください。

____

____

____

＜教師からのコメント＞

２．言い換える

はじめに

１．難しい言葉を簡単な日本語にして話すことはありますか。
２．話をしていて変だと思ったことがありますか。
３．何度も聞き返す人をどのように思いますか。

意識化

◆大学（専門学校）の面接試験で、面接官に「あなたはどうして日本へ留学しようと思いましたか」と質問されました。次の文はその回答です。

面接官：日本留学の動機を教えてください。
受験生：はい、日本の経済を学ぶために来ました。
面接官：経済ですか？もう少し具体的に説明してください。
受験生：私は、日本の大学で経済学を勉強したいと思っています。
　　　　今、私の国でも日本の経済は重要視しているからです。
面接官：ジュヨシ？
受験生：はい、そうです。ですから日本へ来ました。
面接官：ああ、そうですか。

問題１．これは悪い例です。何が悪いかを考えてみてください。

問題２．次に正しい例を考えてみましょう。（　　　　）に入る言葉を考えて書いてください。

面接官：日本留学の動機を教えてください。
受験生：はい。経済を学ぶために来ました。
面接官：経済ですか？もう少し具体的に説明してください。
受験生：はい。経済でも金融政策について勉強したいと思っています。日本政府の経済政策については、今、私の国でも重要視しています。
面接官：ジュヨシ？
受験生：（1　　　　　）、中国でも日本の経済政策には（2　　　　　）しています。重要視しています。
面接官：ああ、そうですか。

談話構成の確認

◆談話構成や使用語彙を確認しましょう。

面接官	受験者
① 質問する	
	② 簡単に答える
③ 詳細を質問する	
	④ 具体的に答える
⑤ 聞き取れなかった言葉を確認する	
	⑥ 他の言葉で言い換える
⑦ 理解する	

■会話の技術■

① 他の言葉で言い換えるときは簡単な表現で言いましょう。
例：重要視　→　注目している

②分からないからといって何度も聞き返すのは失礼です。そのときは非言語メッセージも活用しましょう。
例：分からない言葉だけを「分からない！」という感じで言葉に出して言う。
例：首を傾ける

③理解したときは、「分かった！」という表情をしましょう。
例：ああ～↑　　　＊ああ～↓ではありません。

発表　ロールプレイ練習

ロールカード

> 面接官にもう一度説明するように言われました。もう一度説明してください。その際、他の簡単な言葉（表現）で言い換えて説明してください。もし、他の言葉（表現）がわからない、他の言葉（表現）に言い換えできない場合は、例を示して具体的に説明してください。

◆発表者は面接官と話すように話してみましょう。
＊声の大きさや目線なども気をつけましょう。
＊メモや原稿は見ないで話しましょう。

◆発表を聞く人は、友達の発表を聞いて感想を言ってあげましょう。
＊発表者の「良かった点」をほめてあげましょう。

☞「チェックシート」は別途資料を使ってください。

振り返り

◆自分の発表について評価しましょう。
＊評価のところに自己評価を記号（○、△、×）で書いてください。

・よい（○）
・ふつう（△）
・もう少し（×）

評価項目		評価
構成	質問に対して適切な回答が提示できましたか？	
態度	聞き手（面接官）を意識して話ができましたか？	
音声	話すスピードや声の大きさはよかったですか？	
表現	適切な表現が使えていましたか？	
その他	他の言葉で言い換えることはできていましたか？	

＊今回発表してみて気がついたことなどがあったら書いてください。

____

____

____

＜教師からのコメント＞

まとめシート【会話編】

◆次の例は A **独話形式**の**問題2**をまとめたものです。まとめると自己紹介を含めた「志望理由書」になります。

例

問1　日本へ留学したいと思った理由は？

日本へ留学した理由は2つあります。まず1つ目ですが、なぜ日本人はきれい好きな人が多いのかを知りたかったからです。私の父は中国でホテルや旅行社を経営しています。私の出身地は有名な観光地で、日本からも日本人観光客がたくさん来ます。父のホテルにも日本人の観光客がたくさん宿泊するのですが、いつも日本人のお客さんは部屋をきれいに使用してくれます。私にとって、それがとても不思議でした。それで、なぜ日本人はきれい好きな人が多いかを知りたくて、日本へ留学しようと思いました。また、2つ目の理由としては、日本には親戚や友達がたくさんいるので、安心して留学できると思ったからです。

問2　この学校を志望した理由は？

貴校を志望した理由は2つあります。まず、日本語学校の先生からの紹介で先月貴校でのオープンキャンパスに参加したのですが、運動場や学食などの施設がたくさんあり、とても勉強しやすい環境だと思いました。貴校でなら充実した学校生活が送れると思ったからです。また、私が勉強したいホテル経営学や観光学についての科目も貴校では充実しているので、ぜひ貴校で勉強したいと思って受験しました。

問3　どんな学生生活を送りたいか？

私は、日本の剣道に興味がありますから、まず、剣道のサークルに入り剣道を通じていろいろな日本の文化や習慣について学びたいと思っています。それから、中国語を勉強したいという人がいたら、是非教えてあげたいと思っています。そうすれば、中国の事に興味をもってもらえると思うし、講義で分からなかったところなどを教えてもらえるかもしれないからです。大変だとは思いますが、一生懸命勉強とサークル活動を両立できるよう頑張りたいと思います。

問4　卒業後の希望や予定は？

私は、貴校を卒業したら日本のホテルで働きたいと思っています。なぜなら日本のホテルのシステムは私達の国と違うからです。それに、特に日本人独特のサービス精神「もてなしの心」を学ぶことは、私たち外国人にとっても大切なことだと思います。私は将来国に帰って父が経営しているホテルで働くつもりですが、日本での仕事経験は必ず役に立つものだと思っています。

◆例を参考にして、それぞれの質問に答え、「志望理由書」（400 字以上）を書いてみましょう。

問１　日本に留学したいと思った理由は？

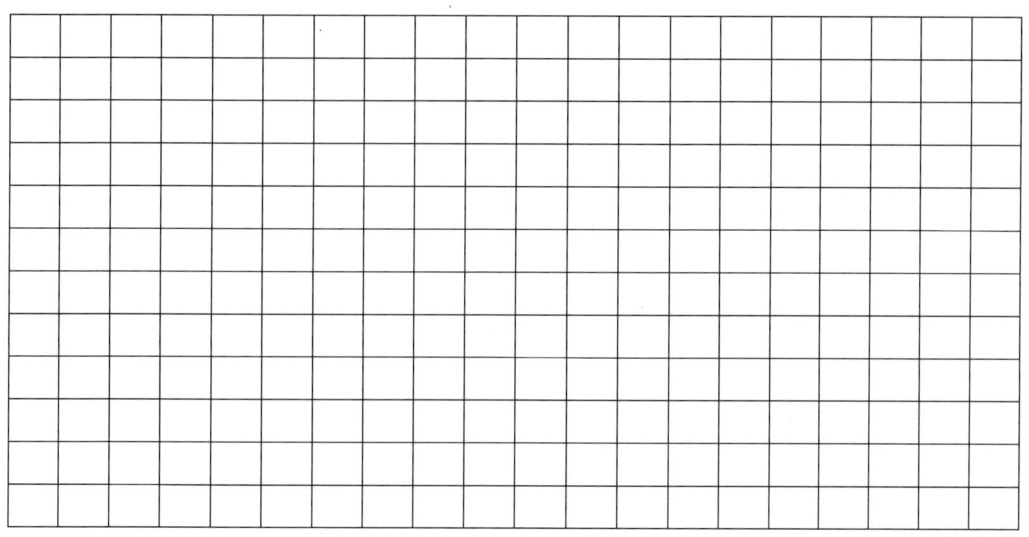

240 字

問２　この学校を志望した理由は？

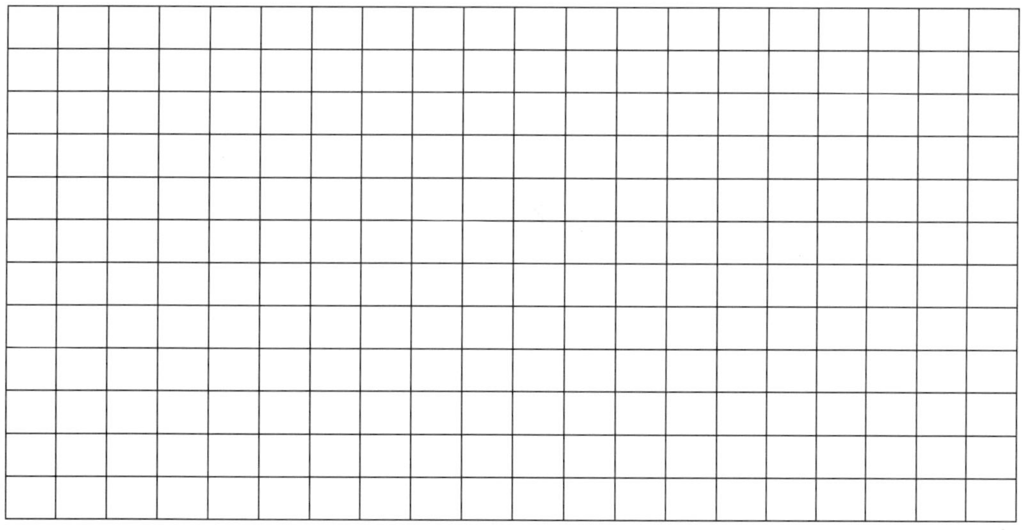

240 字

問３　どんな学生生活を送りたいか？

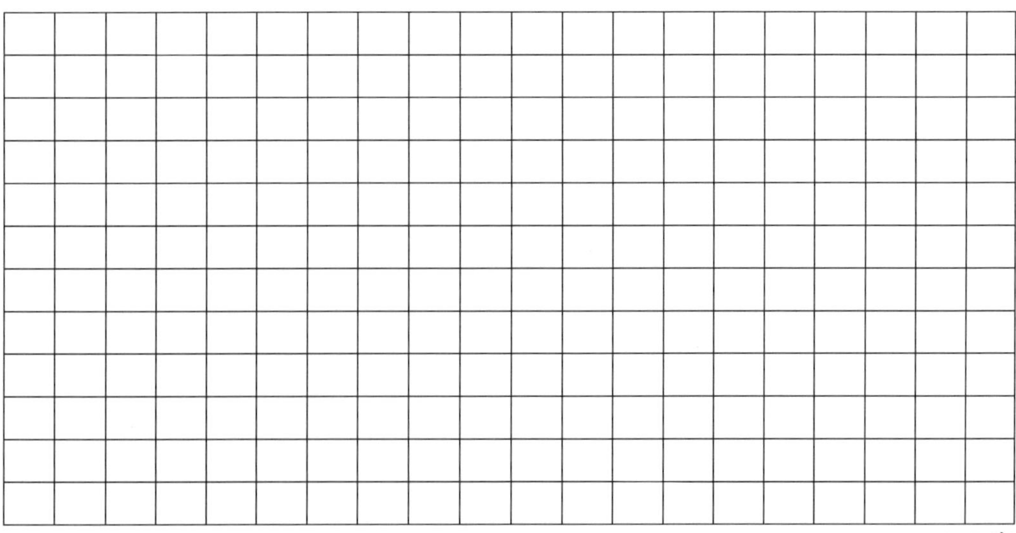

240字

問４　卒業後の希望や予定は？

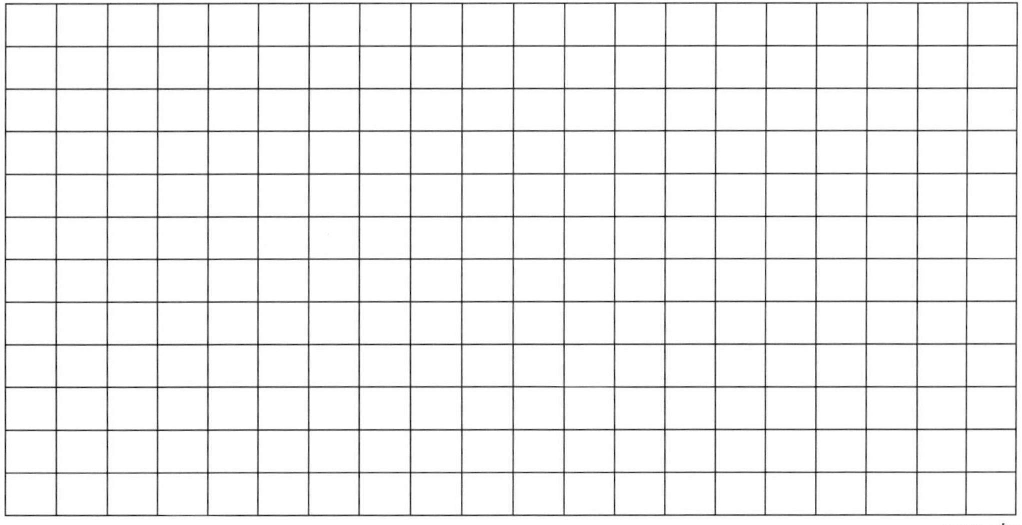

240字

別途資料【チェックシート】

発表者：＿＿＿＿＿＿＿＿さん					
第（　　）回目					
評価基準	4:大変よい	3:よい	2:普通	1:もう少し	
評価項目	構成	4	3	2	1
	態度	4	3	2	1
	音声	4	3	2	1
	表現	4	3	2	1
	その他	4	3	2	1
計	／20				
コメント：					
採点者：					

発表者：＿＿＿＿＿＿＿＿さん					
第（　　）回目					
評価基準	4:大変よい	3:よい	2:普通	1:もう少し	
評価項目	構成	4	3	2	1
	態度	4	3	2	1
	音声	4	3	2	1
	表現	4	3	2	1
	その他	4	3	2	1
計	／20				
コメント：					
採点者：					

発表者：＿＿＿＿＿＿＿＿さん					
第（　　）回目					
評価基準	4:大変よい	3:よい	2:普通	1:もう少し	
評価項目	構成	4	3	2	1
	態度	4	3	2	1
	音声	4	3	2	1
	表現	4	3	2	1
	その他	4	3	2	1
計	／20				
コメント：					
採点者：					

発表者：＿＿＿＿＿＿＿＿さん					
第（　　）回目					
評価基準	4:大変よい	3:よい	2:普通	1:もう少し	
評価項目	構成	4	3	2	1
	態度	4	3	2	1
	音声	4	3	2	1
	表現	4	3	2	1
	その他	4	3	2	1
計	／20				
コメント：					
採点者：					

解答例

第１部　進学・就職のための基礎知識【読解編】

１．年間日程
問題１．（１）×　（２）○　（３）×　（４）○　（５）×
問題２．１　併願　２　外国人特別

２．大学・短期大学進学
問題１．（１）×　（２）○　（３）×　（４）×　（５）×
問題２．１　修学　２　N2

３．大学院・研究生進学
問題１．（１）○　（２）×　（３）×　（４）×　（５）×
問題２．１　研究生（研修生）　２　１年

４．専門学校進学
問題１．（１）×　（２）○　（３）×　（４）×　（５）×
問題２．１　都道府県知事　２　公的

５．受験準備
問題１．（１）×　（２）×　（３）×　（４）×　（５）○
問題２．１　日本語　２　不合格

６．入学試験
問題１．（１）×　（２）×　（３）○　（４）×　（５）○
問題２．１　茶髪　２　「失礼しました」

７．日本で就労できる在留資格の種類
問題１．（１）○　（２）×　（３）○　（４）○　（５）×
問題２．１　特定活動　２　新卒

８．在留資格の変更・更新
問題１．（１）○　（２）○　（３）×　（４）○　（５）×
問題２．１　特定活動　２　納税証明書

解答例

第2部　入学試験（面接）のための発話練習【会話編】

A．独話形式（談話の構造を意識したスピーチ練習）

１．日本へ留学したいと思った理由
問題２．　1　まず　　2　それで　　3　また

２．この学校を志望した理由
問題２．　1　志望　　2　また　　3　科目

３．どんな学生生活を送りたいか
問題２．　1　通して　　2　あげたい　　3　両立

４．卒業後の希望や予定
問題２．　1　なぜなら　　2　もてなし　　3　役に立つ

５．学費は誰が負担するのか
問題２．　1　答えられる　　2　返すこと　　3　両立

６．他の学校も受験しているか
問題２．　1　予定　　2　第一　　3　それで

B．対話形式（発話の機能を意識したロールプレイ練習）

１．聞き返す（言い直し要求）
問題２．　1　すみません　　2　ああ～↑

２．言い換える（言い直し）
問題２．　1　ああ～↑　　2　注目

<引用文献>

・インターネット・法務省「技術・人文知識・国際業務」
http://www.moj.go.jp/nyuukokukanri/kouhou/nyuukokukanri07_00089.html
・インターネット・法務省「日本語教育機関への入学をお考えのみなさまへ」
http://www.moj.go.jp/nyuukokukanri/kouhou/nyuukokukanri07_00159.html
・インターネット・一般社団法人大阪府専修学校各種学校連合会「正しく理解「専修学校制度について」」http://www.daisenkaku.or.jp/expart4_01_03.html
・全国専修学校各種学校総連合会（2006）『専門学校における留学生の入学及び在籍管理に関するガイドライン』全国専修学校各種学校総連合会
・法務省（2020）「外国人留学生の適切な受け入れ及び在籍管理の徹底等について（通知）」
・法務省（2020）「在留資格の変更、在留期間の更新許可のガイドライン」

<参考文献>

・犬飼康弘（2007）『アカデミック・スキルを身につける　聴解・発表ワークブック』スリーエーネットワーク
・上村和美・内田充美（2008）『プラクティカル・プレゼンテーション（改訂版）』くろしお出版
・国際交流基金（2008）『国際交流基金　日本語教授法シリーズ　第 14 巻「教材開発」』ひつじ書房
・財団法人入管協会（2012）『出入国管理法令集（改訂第 13 版）』入管協会
・中居順子・近藤扶美・鈴木真理子・小野恵久子・荒巻朋子・森井哲也（2005 ）『会話に挑戦！中級前期からの日本語ロールプレイ』スリーエーネットワーク
・野澤和世・石川和美・岩下恵子・柳本新二・末松和子（2009）『これで安心！外国人留学生のための日本就職オールガイド』凡人社
・古木徹・米澤文彦（1993）『外国人学生のための大学合格面接』専門教育出版
・目黒真実（2007）『新・外国人留学生のための面接合格するための本』凡人社
・山内博之（2000）『ロールプレイで学ぶ中級から上級への日本語会話』アルク

著　者

京　祥太郎（みやこ　しょうたろう）

獨協大学大学院外国語学研究科日本語教育専攻修士課程修了。
現在、至誠館大学ライフデザイン学部ライフデザイン学科東京キャンパス専任講師および城西大学、立正大学非常勤講師、他。

装丁：㈱アイ・ビーンズ

外国人留学生のための進路の手引き

2020年10月15日　発行

著　者　　京　祥太郎
発行所　　白　帝　社
〒171-0014 東京都豊島区池袋 2-65-1
TEL 03-3986-3271　FAX 03-3986-3272
info@hakuteisha.co.jp
http://www.hakuteisha.co.jp

＊定価は表紙に表示してあります。